「

피애망상 · 자살미수

사련   」

시인의 말

자신을 선하다고 믿어 의심치 않을 때면
타인에게는 악이라 여겨지는 법이었다.

나는 내가 선이라 굳게 결정하며 살았으나
그것이 잘못된 것이라는 거라 다시 결정하기까지
참 오랫동안 헤매며 돌아왔다.

이제야 알았다.
그대에게 화를 내기에
나는 그대처럼 살아본 적이 없었다.

이제 나는 끝내 이해할 수도
발음할 수도 없는 영원을 사랑해보고 싶다.

봄이 가도 영영 지지 않을 그대에게,
사련 드림

목차

시인의 말

1부 · 간밤에 꾼 환청처럼 너는 저문다.

사련(思戀)	007
상실의 시대	009
짝사랑	011
함수초(含羞草)	013
편애	014
피애망상(被愛妄想)	016
잔몽(殘夢)	018
어느 애착에 목매던 (自死)의 기록.	020
해바라기	022
무신론자	023
도축장으로 향하기까지	025
이음동의어	028

2부 · 지금은 죽어버린 맹세에 대해 추모할 시간

동물농장 030

무화과(無花果) 032

평화협정 034

해명, 그리고 기자회견 036

지구는 모순된 무저갱을 안고 있다. 037

삶이란 건 목적지 없는 우주선 038

타인주의 039

여성 눈가 관찰 일기 040

살모사 045

Scène du Déluge 047

물풍선 048

더는 사랑을 알지 말 것 049

3부 · 잔잔한 애정이 정체된 후에 남은 것은.

The Eve   052

몽상가   053

라벤더   054

시사회   055

축퇴성에게 보내는 편지   056

불가역   058

어목(魚目)   060

정물화, [붉은 장미]   062

정물화, [개양귀비]   064

까마귀는 별의 조각에서 탄생한 존재라고   066

아오리 사과   068

소라게   069

3

4부 · 우리는 살아갈 것이다, 그리움보다 오래.

나의 어린 자아에게 보내는 편지는 북 찢어지고.   071
모기향   073
영원은 존재 의의가 없다.   074
사마귀는 작약을 모르고, 기준은 없는데 때마침 시는 짧다.   075
오월의 부고   077
여름 외투   080
도둑괭이   082
THE SCREAM   084
L'Ange déchu   086
정물화, [달맞이꽃]   088
무채색   089
시인의 말   092

5부 · 슬픔은 거기 오래 머무르거라, 아주 먹먹할 정도로.

피학자   094

미필적 고의에 의한 유기   097

철새의 떼죽음과 진단명을 내릴 수밖에 없는 우리는,   098

나를 괭이갈매기라 부르던 적(敵)이 있었다.   100

나의 사월이 있던 삶과도 정이 들어버린지라,   101

안락사   102

동면   104

썰매견   106

정물화, [한란]   109

흡혈귀는 사실 눈에서 태어난 존재라서   111

끝맺는 말   115

1부 · 간밤에 꾼 환청처럼 너는 저문다.

사련(思戀)

우리가 늘 되새김했던 대화는
녹슬어 쓸모를 다 해버린 철로처럼 잠듭니다.
몇 그루의 침몰한 추억의 그루터기는 문드러져,
변질한 배반자라 불리웁니다.

우리는 절대적 가치를 가진 것처럼 서로를 물어뜯어야 한다.
... 언제까지?
사랑이 천국에서 무한의 궤도로 멀어질 때까지.

그런 것들이 있지요. 설명할 수 없는.
당신을 만난 시간은 내 평생만큼의 후회를 담고.
정점에서 미끄러지는 순간만큼의 행복이 있었는데.
이제는 주워 담을 수 없는 해설이 됩니다.

가치 없는 것이라면 깨부수는 것이 옳은 것이겠지요.

이제 감쪽같지요?
더는 죽은 것 같지 않지요?

결국은 이것은 무언 같은 무언가 될 것이고,
이 유언장을 보는 그대는 뭐라 답하시련지요.
마지막으로 무슨 말이라도 해보라고, 하시렵니까.

그리하여 내 갈구 어린 애정은 환상이 아닐 것.
굳이 말해, 무엇 하렵니까.

상실의 시대

나의 발치에
새로운 시대가 도래한다.
모두 입을 모아 현세대를 극찬하고
자신의 공으로 돌리기 급급하다.

그중 한 여인의 노래에 귀를 기울인다,
나는.

때마침 소나기는 너무 길고요,
시는 너무 가볍고 버석거리네요.
사랑이 기울 것만 같아 왜인지 슬퍼지는 밤.
종종 가슴에 활자가 낱낱이 사무치는.

큰곰자리가 수십년 전과 같으리라고는
나 미처 상상할 수 없어요.

구 모양의 지구와 도넛 모양의 지구
게나예나 하루를 증명하며 사는 건 엇비슷하고
밑 빠진 장독대 같은 표정을 메꾸며 죽어가네요.

아무리 심장을 적셔도
한꺼번에 사랑을 완성할 수 없다는데
감히 서럽지 않을 수 있을까요?

나는 앞으로도 결코
내 삶을 아름답다 하지 못할 것이에요.

그렇게 생각하고
하얘진 복숭아뼈를 문지르며 말하길,
상실입니다
상실입니다
.

.

.

짝사랑

발음 [짝싸랑]
파생어 [짝사랑-하다]

명사
1. 한쪽만 상대편을 사랑하는 일
☑비참과 모독의 관계를 탐미하는 것이 짝사랑의 숨겨진 정의였다.

유의어

조바심 나다   머리가 어지럽다
심장이 터질 것 같다   무겁다
아득하다   아릿하다
처음이다   정신 나가다
아프다   안달이 나다
심장을 쥐어짜는 듯하다   눈물이 나다
무너져 내리다   겁이 나다
이해할 수 없다   두렵다
초조하다   씁쓸하다
멍청해지다   손이 떨리다

반의어

행복하다
즐겁다
충만하다
배려심이 넘치다
기쁘다
외롭지 않다
하늘을 나는 것 같다
상상이 현실이 되다
꿈꾸는 것 같다
솟아오르는 것 같다

마지막 같다
풍선을 삼킨 것 같다
마음이 따뜻하다
굳은 믿음이 생기다
저절로 웃음이 나오다
안온하다
날아오르다
밝게 빛나다
미소가 지어진다
관심이 생기다

함수초(含羞草)*

부제: 수신자 불명의 편지

영세한 나날 속 귀하의 존함은 안온하시오?

귀하께 나 이리 청하오.
이녁은 미모사 같소, 라고 다시 한번 말씀하시옵소서.
그러면 나 기꺼이 그대 불면의 눈꺼풀에 접문하리다.
붉어진 안(眼) 내에 백야를 호흡시키오리라.
동통에게 와오되었다 말하오리라.

그러니 나를 불쌍히 여기시어 고요히 길들이소서.
부디 나를 안쓰러이 생각하옵소서.
귀하께서 없으시다면 나 그저 조영에 가려진 미물이올시다.

사모해 마지않는 자여,
귀하께서는 내내 어여쁠 것이고
그것은 내 사촉이 아니올시다.

이 소식을 만지신다면
나는 다시 한번 미모사, 미모사이올시다.

나 귀하의 손길이 그리워 어린아이처럼
부끄러이 꺼이꺼이 잠드는 것이 아니올시다.
그대는 이 모든 것을 어찌 명멸하듯 이라도 아니 아시옵니까?

편애

이름 모를 그대여,
내게 너는 나의 신(神)이었고 이다.

그러나
살아가는 데 있어
내 애(愛)는 떨어진 지 오래고
통(痛)마저 온데간데없어 텅 비어버린, ___.
자식을 잃은 부모의 마음이 이와 같도다.

슬퍼하는 자에게는 복이 있나니- 라고 말하는 듯.
거리를 감싸며 나의 심(心)을 다시금 꿰뚫으려 악바리를 쓰는,
너의 그 눈이 방해다.

네 사랑이 잦다.
신(燼)*은 실로 이리 여쭐 것인가?

망아 된 자아들과 회의(懷疑)하며
논하던 것을 멈추고 돌아본다.
애꿎다 생각되던 나의
시를.

껍데기를 뒤집어쓴 채
자신도 바다를 품었다 외치는,

소라고둥에 숨어 독을 삼킨 미물같이

내 사랑이 잦다.

*불탄 끝 신
*마음속에 품은 의심

피애망상(被愛妄想)

나는 그러하오.
그대의 정이 두렵소.

나는 지금 내 머릿속에 기어 들어가
우리 추억의 태엽을 되돌려 움직이게 하여
다시금 주마등을 펼쳐보려 하오.

그대에게 나는 사마골(死馬骨)*같은 자였으리라.
더 이상 그대를 안고 밝은 곳으로 데려다줄 수도 없고
떠돌지도 움직이지도 못하는 그런, 존재였으리라.

그걸 인지도 인정도 못 했다 근거 없는 변호를 하는 나의
오만이 침침(浸沈)*하게 흐르고 무심코 낳아준 이를 잃고 습격당한 듯한
애(愛)들은 울고 그런데도 잔인할 정도로 눈부신 그대는 몰살을 안겨주고
그 과정에서 나는 짓밟히는데도 그대를 찬양하고 그대는 그저 허황한 미
소를 지을 뿐…

우리가 서로 사랑한 게 맞나이까?

허가받지 못한 공허의 시간을 놓아주어야 한다는 게,
끝끝내 토막 나버릴 그 사실이라는 게 나는 두렵소이다.

그대가 나를 사랑한 것이

16

그것이 진실로 진실로 맞나이까?

*스미어 젖어서 점점 번져 들어감.

잔몽(殘夢)

춤을 춰요, 나의 그대여.
죽음도 우리를 갈라놓을 수 없을 것이라 믿었지요.
그런 저는 헛된 망상 꾼에 지나지 않았어요.

그대는 내 삶의 분내 나는 향몽이었지요.
아주 어리고 여리며 어리숙한 그런… 나비 같은 이였지요.
그대가 찾아온 나는 목단(牧丹)을 꼭 빼닮은 엉성한 조화였는데도…

신따위는 구석에 목을 매달고 죽은 지 오래였고,
그대는 내 품에서 오래 잠들고,
나는 이제 끝이 없으리라 한 몽예를 찬가에 놓아주어야 하지요.

날 영원히 사랑한다고 한 한 사람이 있었지요.
그런데 누가 알았겠어요,
영원이란 게 그리도 연약하다는걸.
차라리 우리가 운명을 거스르지 않았더라면 좋았을 테지요.

아, 그래요. 그렇게 춤춰요, 아주 잠잠할 정도로… 묵묵할 정도로…
그러나 그대여. 점차 희미해지는 그대를 어찌할 수 없어,
발만 동동 구르며 우는 나는 어찌해야 하지요?
오랫동안 답을 고민하고 추측하다
결국 그대 몰래 숨겨둔 답 하나 꺼내보렵니다.

나는 오랜 선잠에서 깨어나, 초점 잃은 눈에 피습한
하나의 사해진 애정 이려고요.

어느 애착에 목매던 (自死)의 기록.

부제 : 수미상관

나의 사랑이란 것은,

사랑은 비극과 같기에 무지를 일깨우는데,
당신의 삶을 애도하는 데에는 아주 조금의 감정만이 필요했다.
너를 묻는다, 누구에게?

슬픔이 허여멀겋게 응고되었다 다시금 녹는다.
짐승의 자서전만이 그것에 응답한다.
그곳에는 나의 죽음이 남아있고,
나는 누군가의 슬픔보다 오래 살아남을 것인가?

내 안에 폭군들의 얼굴이
짓물러진 꽃 사이에서 붉게 승화한다.
그러더니 외친다!

당신의 팔다리를 전부 뼈째 씹어 삼킬 수 없어
나의 목숨줄을 걸고 운명을 심장에 박아넣는데
왜인지 이런 나의 억눌러진 욕망을 모른다면서
자꾸만 나에게서 벗어나려 하기만 하는 당신은
너무나도 잔혹하다 나는 울부짖고 떨치려 하고
당신의 눈썹을 가진 사랑은 곧 반이 갈려 죽고
너 어디까지 날아갈 건가 라며 나는 그저 울고

당신은 네 몫부터 내 목까지야 라고 하며 살고
심장이 갈비뼈를 가르고 나온다 오오 사랑이여
그 잔혹하게 희생당한 오래된 거리 또 다른 나

나 여기서 맹세한다.

말소되지 못한 기록에 영영 새겨지고
죽어버린 이름들을 단조로이 사칭하고
무감각에 패악 비스름한 비난을 받고
창백하게 말라비틀어진 채 끝에 닿아도
그래도 좋다.

당신만이 제 곁에 있다면.

이것이 사랑이 아니라면
도대체 무엇이 사랑인가

?

해바라기

나는 겨울을 모르렵니다.
갈구가 없어야 하는 삶 따위 모르렵니다.

오로지 그대만이 나를 비추고
나는 그에 응해 반짝이는 보석이 됩니다.

향일화, 향일화라 불러주시렵니까.

절애하는 이여,
그대가 나를 봐주기 전까지
나는 그저 정처 없습니다.

죽기에 이토록 좋은 세월이었습니다.
감히 나 그대를 부르며 절명해도 되렵니까?

*해바라기는 한해살이 식물이며, 꽃말은 일편단심이다.

무신론자

불경스러운 오만함이 죄가 되기까지에는
믿음 없는 신이 얼마나 죽어야 했을까.

흰 천으로 얼굴을 가린 채
집에서 집으로 가는 길을 망각하고야 만다.
약육강식의 세계에서 초식의 술래가 박탈되듯이

어디에 내보여도 꿇리지 않을
한 사람 하나의 자유에는
아직 이름조차 없는데

자유 없이 스러진 자들,
즉 이미 죽은 자들이 궁금스럽다.
너무 가까운 슬픔과 용서를 박탈 받을 수 없기에

신은 죽었다 차마 말할 수는 없다.
궁극적인 미지는 나를 두렴에 떨게 하므로.

그러나

신이시여,
나를 꿰뚫고 나오는 면죄부가 있어
나는 아름답다.

, 단언.

눈먼 새들을
당신에게로 이끄는 건
당신이 빼둔 눈동자에 비친 연민인가?
혹은 이미 당신이 패배한 것들에 대한 동경인가.

(한숨)

내게 너무 그러지 마세요.
내가 정말 당신을 죽인 것 같잖습니까.

(똑똑)
(고해소를 열어두는 시간이 끝났습니다.)

(아, 여기도 시간이 있었군요. 죄송합니다.)

(괜찮습니다.)

당신도 참 야박하지요,
시작이 있다면 끝이 있다는 게,
얼마나 잔혹한 일인지 당신은 늘 모르시겠지요.

처참과 간혹은 용서하지 못할 관계를 맺었고
구제받지 못할 영원 속에
이런 일들이 있(었)다.

도축장으로 향하기까지

말간 눈동자가 혹여 서글픈 듯 보여
나도 모르게 나도 사랑해. 라고 말할 뻔했다.

차마 입 밖으로 내뱉지 못했다.
말하면 내가 나를 선뜻 사랑하는 것 같을까 봐.
내가 살아있는 것에 반대한 걸 후회할까 봐.

참 많이도 닮았다.
그래서 두렵다.

한낱 미물에게 삶을 투영하는 게
얼마나 어리석은 일인지 아냐며,
내게 구타를 쌓는 아버지의 모습이 못내 선연하다.

저 멀리서 아버지의 형상이 뚜렷해진다.
내심 그가 죽으면 좋겠다고 생각했다.

소스라치게 놀라듯 나는 고개를 젓는다.
내가 괴물 같아서, 꼭 부모라는 것 같아서.

친구들과 소주잔을 기울이며 와자지껄 말하는 행위에서
식칼로 나를 휘갈기던 어머니의 모습이 문득 오랜만에 떠올랐다.
어머니가 집을 나간 지 장장 3년 만이었다.

아버지와 친구분들은 그저 보신탕집에 끌려가는 개를 보고
개새끼, 고놈 참 맛나겠다며 킬킬대셨고
자신들이 키우는 소를 보면서 돈도 안 되는 놈이라며 침을 뱉으셨다.

카악 퉤.

그리고는 다시 담배를 무시고는
노래를 흥얼거리며, 그저 웃음을 지으며
나에게도 좀 사근사근 웃어보라며 고함을 지르셨다.

그러나 시급 몇 푼에 생애를 팔아넘기는 일.
그것이 얼마나 초라한 것인지 알기에
나는 차마 웃을 수 없었다.

어둑한 골목 껌벅거리는 가로등이 울 것 같아서
나도 모르게 고개를 숙였다.

길바닥에서 주운 신문에 적힌 '육우값 폭락'이라는 단어에
아버지는 쯧, 혀를 차시더니 이내 그것을 벅벅 찢어버리셨다.
왠지 울적한 기분에 선뜻 떨자니 공허했다.

새벽하늘이 파지처럼 굴러다니고
밤이 뒤편에서 며칠째 가지 않고 있다.

오늘은 도축장 가는 날,

26

오늘은 도축장 가는 날.

아버지의 휘파람 소리가 살갗을 훑고
소름이 돋아 괜히 어깨를 쓸어본다.

이제는 익숙해진 소 울음소리에서는
가끔 다 타지 않은 편지가 나왔다,
차마 읽을 수 없는.

텅 빈 괜히에 숨소리를 채워 넣는 일.
너는 내가 평생만큼 기다려온 대답이었다.

사랑하는 마음은 죄다 미신이라,
낯선 이의 심장을 오래 핥고만 싶다.

이음동의어

사랑은 잊는다와 잃는다로 귀결된다. 언뜻 보면 달라 보이지만, 우리의 은하 안에서 잊는다와 잃는다는 그다지 간극이 없었다. 굳이 따지자면 잊는다는 건 슬프고 잃는다는 건 비참하다는 차이가 있었다. 슬픔의 농도란 우주가 한 번 몸부림칠 때마다 빛이 제가 떠나온 별을 잊는다는 것 정도. 딱 어렴풋한 영원만큼만. 비참의 채도란 북극점을 내리 달리던 밤이 눈물을 떨어뜨리고 애정을 내리 지운다는 것 정도. 연인들이 서로를 꾸준히 우울해하는 정도만. 내가 이 사건의 경위를 드디어 알아챘다며, 세기의 발견이라 울어대기만 할 때 너는 이 사건을 이해하지 못했다. 사랑과 무관심의 탐미적 관계와 무가치함. 그걸 파헤친다고 할 때는 언제이고 이제와 고작 그런 걸 신경 쓰는 것인가? 라며 너는 냉소했다. 하지만 자유의 이름을 되찾는 것에는 사랑만이 해답이었고, 우리는 사랑을 잊는 것과 잃는 것 사이에서 헤매고 있다. 그런즉 내가 진정 찾으려 한 것과 연관되어 있지 않은가? 라고 나는 답했다. 그래서 말하고 싶은 것이 무엇이냐 너는 일어섰다. 나는 나를 이해할 수 없는 너를 보며 얼버무리듯 울었다. 내가 말하고 싶은 건, 사랑과 관련한 것들을 잃는 행위에 있어 내 책임을 지고 싶지 않다는 것이었다. 그저 대상이 나를 잊는 과정에서 내가 지워지는 것이 싫다. 밤에 그들을 그리며 추위에 떨고 싶지 않다. 그리고 너는 없다. 잊는다는 건 잃는다는 것과 같아서 오로지 내 책임만이 가득한 걸 알면서도 말이다. 얼마나 열심히 슬퍼하고 비참해했는지 모른다. 콧등이 새파랗게 돋아날 정도였으니. 너는 유언을 남기는 천사의 말을 해주고 갔다. 함부로 착각하지 말 것. 추억이란 이름은 너의 것이 아니다. 불안, 심장에서 동결되지 않은 사랑을 꺼내라. 나는 절망했고, 고결했다. 결국 다 알고 있으면서 모른다는 문장을 쓰고 있었고 나는…

28

2부 · 지금은 죽어버린 맹세에 대해 추모할 시간

동물농장

갈라진 자궁 안에는
사랑하고팠던 것들이 차 있었다.
볼 수도, 안을 수도 없으나
그런데도 사랑해야 했던 품종에 구속된 삶들,
그리고 이름 없이 먹히거나 묻히는 도구들.

세침 하나에 우수수 쓰러지며
애정 한번 갈구하지 못하고 쓰러지는
유기 생명체들, 이었던.
감히 너희 같은 놈들로 인해
무고한 아이들을 착각하게 하지 마라.

다른 동물들에 비해
훨씬 열등한 환경 속 거짓에 삼켜지는
어디서 왔는지도 모르는 견생들
안온한 최후 따위는 짓밟힌 채
믿었던 이들에게 배신당하는.

한순간의 동정과 손을 잡은 건
난제라는 이름의 해답.

자연을 잡아먹는 건 자연뿐이었고,
개 울음소리는 오늘따라 날카로울 것.

내 몸의 어리석음에는 더 이상 꽃이 피지 않는다.

무화과(無花果)

오랜만이네요.
뜨끈한 입안에 화(花)가 피어올라요.
사랑했던 추억은 결국 화(火)가 되네요.
그렇네요. 그렇게 당신은 말하는 듯합니다.

우리, 정확히 저 하늘만큼만 슬플까요.
더 이상 더도 말고 덜도 말고 딱 그 정도만.
당신은 답이 없습니다. 마치 이미 무의미하다는 듯.

투신하듯 낙하하는 새들처럼
우리는 서로를 찌를까요.
진실로 그럴까요.

당신, 왜 답이 없나요?
앞으로의 허상에서 건져낸 듯 난 당신이 보이는데.
당신의 눈은 나를 향하고 있지 아니하군요.
어디를 향하는 건가요?

답을 하기가 싫은 가요. 그런 건가요.
그러면 마지막으로 물어볼게요.
우리가 진정으로 해야 했던 것이 무엇이지요?

내 입술과 당신의 입술이 겹치다 이내 열리네요.

서로의 단단하고 무른 혀가 불쑥, 튀어나와 말을 하네요.

비탄과 모순에 익숙해질 것.
끝끝내 온 곳에서 우리는 서로 다른 연인일 것.
이름이란 삶의 정체성이란 것을 기억하며, 결코 이름처럼 살아갈 것.

우리에게는 녹슨 창(愴)*이 필요했을 뿐인데.

*愴 : 슬플 창
*무화과의 열매 안은 과육이 아닌 꽃이다.

평화협정

나에게 난제가 주어졌어요.
이 분쟁을 해결해야 한다고 하네요. 회의(懷疑)*를 해 볼까요.
자자. 그대여 말해봐요.
우리는 이다음에 무엇을 해야 하지요?

내린 결말은 하나인데, 결론은 여럿이네요.
우리는 결핍을 경멸했고, 본성은 우리를 째려보네요.
내가 당신을 사랑하는 그 막연함을 듣고 가요.
내일의 일은 내일로 미룰까요. 오늘은 너무 힘들잖아요.
하지만 이별의 새벽은 저물어요, 시계가 고장 난 것 같네요.
선뜻 위장으로 투신하는 찬물.
비참과 비슷한 온도를 가지고, 떨어져요.
누군가의 대신처럼요.

나와 그대는 자주 중얼거리곤 했지요.
그 가사가 노래였는지, 고아였는지는 아직도 모르겠어요.
그게 더는 수면 위에 떠오르지 않을 때까지
내가, 여기서. 툭툭 잘라내며 살려냈다고요.

변질한 그 아이의 심정을 저는 또 노래해요.

침묵이 고요한 번개가 되어 식어버린 애정을 안는데
그러니 사랑하는 연인들은 쉴 새 없이 잠들어라.

서쪽으로 흐르는 아무도 기억하지 못하는 전쟁의 잔해처럼
그렇게 내 생에 피어라 아주 깊은 그리움아.

온전치 못한 농도 깊은 사랑만 남겨놓고 가거라.
내 생애 가장 슬픈 기억아.

삶을 담은 편지를 담고. 아주 짧은 그 편지를 담아 띄워볼까요.
그대, 나처럼 살아본 적이 없으니까요.
우리 아주 조금만 헤어질까요. 연인답지 않은 척해볼까요.
창백해진 표피를 벗으며 딱 두 번만, 두 번만 울까요.
그대, 내가 너무 오래 살아있는 척했지요?

이제 그때처럼 다시금 이름이 무엇인지 여쭤보고 싶어요.
단어인가요, 문장인가요?
아니면… 딱 더도 말고 덜도 말고.
과도에 조각난 태양 같은 피애자(被愛者)였나요?

해명, 그리고 기자회견

짝사랑과 우울, 정도 없는 것들은 불법이라지.
나는 그것들을 메모장에 일일이 옮겨 담는다.
여름은 짝사랑을 품고 겨울은 나머지를 안는다.

더위에 눅눅해진 메모장을 씹는다.
치아가 아릴 정도, 딱 그 정도의 눈꽃 맛이 났다.
차가운 육체와 뜨거운 정신을 가진 듯 운다.
나는 허물을 물어뜯으며 그렇게 애절하다.

겨울은 인간이기를 잠시 중단할 수 있고
여름은 짐승이기를 잠시 이어갈 수 있다.

시집의 좋아하는 구절에 밑줄을 죽죽 그어버리듯
적당함을 모르고 넘쳐나는 것들에 잠식당한,
죄악에 선을 그어 흔적만 남길 수 있는 그 계절이 나는 좋다.

그러니
왜 봄과 가을의 상관관계를 멸시하는가.
라고 내게 묻지 말아라.

지구는 모순된 무저갱을 안고 있다.

정의는 니케의 얼굴을 하고 있지 않다.
딱딱한 사람들이 도미노처럼 쓰러지는데,
그 흔적 위를 힘차게 뛰어다니는 아이들은
늘 아무것도 모를 듯 활기차다.

멈칫거리며, 멈칫거리며, 멈칫거리다.   (탕.)

때 묻은 슬픔에 동정할 겨를도 없이
눈먼 욕망에 희생만 엉엉거리며 울부짖고
부모와 자식과 연인과 친구와 동료와 가족과 지인과
하다못해 동질감까지 꿰뚫린다.

순진함은 죄악이다.
죽음이 뭔지 알 턱이 없는 아이들은
늘 비참해했으므로
비참함이 뭔지를 몰랐다.
그게 바로 지옥이었다.

영원은 존재 의의가 없다.

그대만을 영원히 사랑하고 그리워하겠다.
우리의 맹세는 기꺼이 받아들여져야 했는가?
이것은 언약보다 무겁고 시간보다 가볍다.

문득 들려오는,
귀(耳), 시인의 귀(鬼)는 이것보다 튼튼하오?
그들의 혼은 어디까지 기록될 수 있는 것이오?
영원은 어찌하여 이름대로 살아가지 못하는 저주에 걸렸소?
스쳐 지나가는 그대라는 이름의 나그네들이 말한다.

나는 답해줄 수 없었고 다른 이름을 지어줄 수도 없었다.
아무렇게나 뚫린 입으로 새어 나오는 것은 말이 아니었기에.
내가 그저 할 수 있는 말이라곤 하나밖에 없었다.

그대, 지금 저무는 황혼에 취해있는가?

그토록 애틋했던 이여,
영원이라는 말을 증명하지 못하는,
나는 그대를 가슴에 묻을 자격이 없다.

우리는 펄럭이며 날아가는 그림자처럼 추억될 것이요
애정은 빛바래 낫지 않는 상처가 될 것인데.

삶이란 건 목적지 없는 우주선
부제 : 시를 쓴다는 것은 살아 있다는 것

찰박거리며 초조한 촛불의 실명(失命)
가운데 나는 서 있다.
내 지구만큼의 황량함을 심지라 부르며
그것이 꼭 살아지는 일 같아서, 울고 싶어졌다.
굳이 연명해야 한다면 별처럼 살아야지.
싫다가도 어째선지 우주처럼 살고 있다.

지금 내 앞에 이루어지는 건
한낮에 이루어지는 별의 실족사,
그리고 우주 내 수많은 유리 파편에 대한 추모

그러나
내일 우주가 멸시된다 하더라도
나는 또다시 한 편의 시를 짓고 싶다.

타인주의

덜컹대는 지하철 안.
한 사람이 옆자리에 앉는다.
학생 또는 취준생 또는 직장인같이 보이는 인간이었다.

그대는 한 인류가 세대라는 것을 거치듯 떠밀려온 이.
쓸모와 무가치 그 언저리를 유영하던 이.
그대의 꿈은 무슨 꿈을 꿀 것인가.
나는 배우려고도 알려고도 못하여서,

그이와의 약속은 밤 11시부터.
지금은 오전 11시 23분.
설렘으로 손에 땀이 흥건하다.

파운데이션을 두터이 덧바른다.
마치 다른 사람이 된 것 같아 피식. 웃어보곤 한다.

배를 두드리면 지나가던 밤이 식도에 스며든다.

화장을 다 마치자 그대는 말한다.
추억과 시간은 우리가 발명하는 것이요,
걸음마다 배교가 스며드는 것은 증인이 되고자 함이라고.

인간이라는 단어의 뜻을 요약하자면 거짓말이었다.

나의 뜻을 배제하고 해석하자면,
오늘 시간 가능하세요?

그래서 나는 말해야 했다.
죄송해요, 불안과의 저녁 약속이 있어서요.

곧이든, 나중이든
용서는 가깝지 않았고

여성 눈가 관찰 일기

한 여인이 도박장에 목을 매단 것을 보았다

여인의 눈알이 데굴데굴 옆으로 굴러간다
어디까지 굴러갈까 가출하지는 말어
모체의 탄압에도 눈알은 빠져나간다

여인의 눈가는 모딜리아니의 작품같아
나도 모르게 빤히 쳐다보고 말았다

시선을 읽는다는 건,
인식을 이루어간다는 것

내가 본 여인의 정보는 두 가지

여인이 아는 것
당신이라는 단어의 뜻은
네가 버린 것이 무엇인지 아니? 라는 의미와
목구멍에서 귀가 자라는 것 같은
모순이라는 유의어가 있다고

여인이 답할 수 있는 것
너는 죽었는데 왜 답을 얻으려 하나요
당신이 말하는 모순이라는 건

공감각적 시야를 눌러 담는 게 아닐까요
청각의 시각화라던가
내가 당신을 영영 그리워한다는 걸 입 밖으로 못 내뱉어서
이런 말을 해보는 거예요
그런데요, 너무나 다정한 이여,
이것도 당신의 무의미한 배려가 아닐까 두려워요

기도가 우글쭈글하게 울어버릴 때
비로소 사전에 당신이라는 단어는 없어진다

심장에 가장 근접한 말이 있다면
그건 "저는 오래 보고 있어요"
잃어버린 애인만을 둥글리는 여인에게
잊지 않고 비명 몇 군데

사랑하는 이여,

치부를 덮을
눈꺼풀이 있다는 것
그것은 어두운 구의 증명

구태여 밤새 헛기침을 맴도는 일
즉 증명을 존안하는 것

어두운 구가 눈가를 채울 때
비로소 당신의 이름이 우울로 도배된다

무서워요, 무서워요 당신의 삶은 어디로 가려졌죠?

나의 편협한 머릿속은
오늘도 룰렛을 돌려요

빙그르르
빙그르르

잭팟입니다!

추신. 도저히 희망을 얘기해주고 싶었다고 하는 당신께
나는 등 중심에서만 공전하고 있다고 얘기할 수 없어서
이 시를 쓴다면 웃으실까요.

아, 참고로

도박에 빠져 살지는 않아요:)

살모사

부제 : 죄의 근원

죄악이라는 행위의 정의.
완전한 사랑, 혹은 죽음을 찾으려 눈을 치켜세우는 것.

그것에 대한 대가로
고해를 머금고 그대라는 이름의 발에 입을 맞춘다.
한순간의 사랑이자 미련이었다.

전능한 것들의 심연을 들여다보는 것,
신은 사랑을 모른다는 절대적 정의를 부정하는 짓.
어쩌면 자신의 치부를 들킴에 있어 가중된 죄일지도 모른다.
억울한지 물으신다면 나는 기껍게 증오한다 고해할 것이요
무엇을 그리 증오하냐 물으신다면 나는 답할 수 없을 것이었다.

모든 것은 순진하디 짝이 없는 자신의 안위를 위해서.

끝끝내 거짓으로 구축된 세상이 오더라도
안녕만이 사랑이란 것을 안 대가라 하더라도
모든 것은 신의 뜻대로.

설령 거짓으로 구축된 세상을 모두가 외면할 것이지만,
그렇더라도 괜찮았다.

그러나 다시금 의미가 소멸하는 애증이 있으므로.

끝끝내 절박하다. 무엇이?
그대를 더는 떠올리지 못할 것이라는 그 확신이, 두렵다.
그러한 사실 기반적 문장에도 혓바닥은 더 이상 증식하지 않는다.
검은 설태만 남겨둔 채, 자라나지 않을 것이다.

그럼에도 불구하고.

달이 수려하다.
살점이 뜯겨나가고
더는 존엄을 찾지 못하리라 하더라도.

Scène du Déluge*

당신의 심장을 움켜쥐고 비로소 본인은 먹먹하다는 행위를 배웠다. 먹먹하다는 뜻은 사랑한다는 뜻과 같아서, 본인은 당신을 먹먹했다고 바꿔 말할 수 있었다. 설령 본인이 실수라 하더라도 당신이 좋았다. 우리라는 말을 당신으로 인해 배웠음을 본인이 어떻게 부정할까. 정확히 바다의 포말만큼만 슬펐다. 무엇이 그리 슬프냐 묻는다면 본인은 당신이 슬프다고 말할 것이다. 여전히 바다에 닿지 못하는 시야가 있어 눈물은 존재한다고 본인은 믿어 의심치 않는다. 커튼콜같이 비는 계속 순환하며 잘못을 되풀이하고, 언젠가는 언제쯤 멈출까. 본인은 당신에게 묻는다. 아무 말이 없는 당신을 바라보자니 발등에 물이 사박거린다. 일부러 손가락 사이로 흐르는 모래를 닦지 않았다. 발음이 새지 않게 주먹을 입에 넣으니, 짭짤하다 못해 쓴맛이 느껴졌다. 사랑하는 이여, 이렇게 나를 버리실 겁니까. 라는 말을 뱉어도 당신은 답이 없다. 버석거리는 다리가 옆에 이의 표정부터 시작해서 자라나더니, 곧장 본인의 머리까지 자라나기 시작했다. 그때부터 본인은 뒷걸음질로 바위에 올라탔다, 그 질척이고 무수했던 바위들. 신을 부르짖어라, 진노 중에도 부디 간청하옵건데 긍휼을 잊지 마시옵소서. 나만이 외치고 있었다. 개떼들이 본인의 간을 먹어 치울지언정 본인은 신이 운다고 생각했고, 신이 운다. 신은 온전하기 위해 후회를 지우고 그에 따라오는 실수를 지운다. 투서처럼 새들이 낙하할 때, 처음 표정을 지은 극중인물처럼 우리는 먹먹했고….

*조제프 데지레 쿠르의 작품인 대홍수의 장면의 원제목.

물풍선

눈동자가 쏟아질 것 같아서 나는 즉시 울음을 참는다. 한때 내가 네게 했던 말, 너는 아직 기억할까. 네 운명을 내게 덮어주겠니. 즉 우리, 진실한 말로 나는 서로의 퇴로를 막은 것이다. 마치 승전국의 푸르른 만취를 기꺼워하는 인질처럼, 돌아갈 수 없는 고향을 그리워하듯이 죽음을 찾는 정신이상자처럼, 그러니까 상대를 전유하는 행위를 했다는 것이다. 연인이란 것들은 전부 염세주의자여라, 그 말에 근거를 묻는 나에게 너는 퉁명스레 말했다. 모든 것이 저들보다 찬란함에 무지한 채, 그들을 제쳐두고 서로만이 희망이라 믿기 때문이라고. 그러면 우리도 염세주의에 찌든 것이냐 허심탄회하게 물으면 너는 즉시 입을 다물었다. 부정인지 긍정인지 모를 네 의미심장한 표정에 나는 그저 웃었고 너는 표정이 없다. 우리는 지옥보다 값비싼 연인이며 나를 사랑해 마지않는다고 너는 표현했다. 네 혀는 검었고, 내 귀는 붉었다. 그러니까 내가 쓰고 있는 건, 다 알면서도 모른다는 부정적 거짓이란 것이다. 너는 나의 사랑한다는 말에 비스듬히 웃었다. 답은 없었다. 내 귀보다 네 혀가 더 거짓말이었고, 내가 사랑한 건 네가 데려온 거짓말이었다. 울음에도 물때가 끼는 까닭은 무엇일까. 지울 수 있을까. 고로 나는 생애 첫 마음을 연 야생동물처럼 슬픔을 참았고, 너는 차마 이해할 수 없는 이상야릇한 묘사로 살아갔다. 나는 진실로 사랑했기에 기꺼이 죽음을 다해 새벽이 빈손으로 온 까닭에 대해 썼는데. 너는 어떠할까. 그래, 필연에게서 도망치는 우리는 일부러 비대해지고 강렬해진다. 나는 이 모든 것을 연인에게 오는 불행 중 가장 큰 행운이라 불렀고. 무릇. 참담이었다.

더는 사랑을 알지 말 것

사람은 누구나 영혼 안에
크고 작은 숲을 안고 살아간다.

나의 숲은 자작나무 숲,
그곳에는 하염없는 기다림*을 가진 나무들이 있다.
이제는 볼썽사나운 고목이지만 한때는 고아했던, 그들이었다.

나는 이 숲의 일기를 보여주고 싶다.

무더위가 한창 자격을 얻던 날 /

우리가 발명한 세월이 고목에 돋아나고
나의 아이들이 멈춰 각자의 시간에 고개를 파묻으면
그제야 눈꺼풀이 닫힌다.
곧 밤이었다.

추모와 검은 뱀이 꽈리를 틀던 날 /

우리는 밤을 혐오하는 방법에 무지했고
처음으로 진실한 사랑에 대해 깨닫게 되었다.

흰 동백꽃이 사람이었음을 깨달은 날 /

그러나 우리가 간과한 점, 단 하나.
진정 사랑을 알아버린 자에게는 심장이 없는 법이었으며
사랑이란 곧 다른 말로 허무였다.

심장이 없는 자는
곧 자신에게조차 버림받은 자.

나 이제 더는 사랑을 알지 않으리.
(헛소리!)

숲의 기별에는 수치가 적혀 있지 않으며
아이들은 늘 비참해했기에 비참이 무엇인지 몰랐다.

가히 절명에 가까웠다.

끝없는 허무를 메꿀 것을 기다려도
오는 것은 없었다.

당연한 사실이었고,
무의미였다.

모든 슬픔이 평발이 되어갈 때,
나의 숲에는 심장이 없다.

*자작나무 꽃말은 당신을 기다립니다.

3부 · 잔잔한 애정이 정체된 후에 남은 것은.

The Eve

내 몸의 주축을 수치스럽다 하시렵니까.
피해로 구축된 내 삶을 죄악이라 하시렵니까.
본능이란 걸 주었다 탓하는 내가 역겹다 하시렵니까.
남에게 해를 끼치며 태어난 내가 추악하다 하시렵니까.
왜 우리를 시험하시나이까 여쭙는 나를 비난하시렵니까.
잉태의 증표가 되어야만 했던 내 눈물을 미쳤다 하시렵니까.
원치 않게 저주가 되어 울부짖는 내 소리를 끔찍하다 하시렵니까.
원치 않게 쉰네라는 자칭을 쓰며 쇳내를 머금은 나를 욕하시렵니까.
누군가를 위한다는 목적으로 태어난 나를 가엽게 여기지 않으시렵니까.
끝조차 기억되지 않고 비참한 말로를 가진 나를 어찌 버리려 하시렵니까.

추방되며 끝끝내 죄인으로 몰린 나입니다.

내게 후회란 걸 물으시렵니까.
진심으로 그리하시렵니까.

몽상가

꿈속.
꿈이면 늘 울기만 하는 철부지가 된다.
꿈은 이루어지지 않기에 꿈이라 불리운다.

내 삶에 있어

노쇠한 자에게 주어지는
생애 가장 큰 그리움은 생략할 것이다.
나는 늘 그렇듯 종종 너와의 환영과 춤을 출 것이고
너는 오로지 내게만 맞아라.

너는 내게서 스쳐 지나간 환각이었고,
왜 너였는지 궁금해할 수 없어서 다행이었다.

정신이 호를 버리는 와중
나를 비추는 네 눈이 방해였고,
이에 허가받지 않은 네가 필요하다.

슬픔은 녹슬지 않을 것, 그렇게 살아질 것.
환영은 본인의 척추를 먹어 치워라.

라벤더

하루살이처럼 연명하는 가운데,
정확히 불안만이 내 살을 가르는 때가 왔다.

불투명한 물거품이 눈가에 흩어지는 시간.
이명은 귀 언저리에 발신 불명으로 불시착하고,
나는 비스듬한 표정을 엮으며 지어낸다.

사랑하는 연인들이 서로를 바라보며 혼자만큼의 애정에 취한다.
그러면 내 끈적한 두려움이 피부를 타고 흐르고,
그저 죽어버릴 듯 사랑하고팠던 나의 의식은 몽마가 된다.

오로지
헛되어진 꿈이여.

한때는 싱그러움을 동경했을 때도 있었다.
아주 잠시의 미운 정이었다.

정적이 흐르는 순간.
내 입안에 살얼음이 열리고
한여름의 쓰라린 잔상만이 돛단배를 타고 온다.

그러나
푸르름, 허상만이 아닐지어다.

시사회

내 끝물 같은 기억 속에
당신이라는 단어는 기재되어 있지 않았다.

해석 불가능한 백일몽, 그 차림을 한 악몽.
그것이 당신이라는 단어의 뜻이라 누군가 떠올렸고
내 삶의 이름이라 칭했다.

빈 육체가 둥그렇게 두근거리고
저 멀리, 불그스레한 창공이 무너져 내린다.
이제 곧, 당신이 쏟아질 시간이다.

그럼에도 불구하고.

축퇴성에게 보내는 편지

부제 : 나는 한때 축퇴성이라 불리고팠던 적 있었다.

추신 / 별의 예정된 죽음은 나를 두렴에 떨게 하고.
이치에 맞추어 태어나고 지는 우리,
구원을 바라기에는 사치였다.

궤도를 도려내고팠다.
그리도 운명의 중심부를 보고팠다 단언한다.
미세한 얼룩들로 슥슥 트집을 내고 나면 무엇이 아롱거릴까, ?

미련이 깜, 박. 인다.
눈앞에 부유하는 것은 고리타분한 혈흔내.
뿌연 먼지만이 자욱한 가운데, 구제받을 이는.
단 하나도 없었다.

세상을 망각하는 것이 영원이라 누군가 그랬어.

사랑했던 이여,
그대가 자기 자신을 집어삼킬 때
나는 그대를 망각한다.

그대의 뜻에 맞추어
나는 그대를 한때 잊어버리고야 만다.

증폭된 침묵 그 어딘가에 나는 서 있는걸.

내 몸은 차갑게 식어버린 별의 수명,
그것에 닿으면 재가 되리라.

끝끝내, 선언.

불가역

부제 : 나의 신은 나의 모든 것이 되어야 했고,

모든 이가 세상을 천하라 부르며 갈망할 때,
나는 그것을 사랑이라 부르며 갈구했다.

미성숙한 설움은 멍하니 자견(自遣)하는 걸
유예하며 구름 그림자를 그리워하고
저 멀리 침묵과 망각은 한 끗 차이였으며
나는 단말마를 내리 달려야 했다.

~~갈급함 그것이 우리를 죽고프게 하는 걸지도 몰라~~

급히 구겨진 편지만 알 것이었다.
이제 새들의 깃에는 배교가 없을 것이고
반대된 공허에서만 날개를 접으리, 라는 학살을.

그대가 여기 없다는 걸 잃은 산새들이 울다 봄을 죽인다.
가여운 봄이 부리에 뜯겨나가자
나타나는 것은,

서두름을 재촉하던
자목련이 곧 진다는 것.

단지 그 무렵이었다.

추신 / 나의 세상은 작자미상이 될 것이요,
그렇게 우리의 삶은 발각되지 않을 것인데.

어목(魚目)

수면이 잠잠하게 잠들다
다시금 누군가의 눈두덩이들이 발발 끓는 듯하다.

그이의 입술이 열리고,
안에서 동공이 초상화를 그리는 게 보인다.
그리도 번져 문드러진 안에
비친 것은 나였던 것 같다고 단언한다.

옛사람들은 바다 건너를 보고 세상을 평평히 보았다지.
나는 수평선을 동경했고 너는 그 무엇도 앓지 않는다.
내게 실토하고… …나는 그저 죽죽 웃고

몸에 쓰인 낙인에 밑줄을 죽죽 긋는다.
나, 누명. 적당한 정도의 필요악.

우리는 그걸 아가미와 비늘이라 칭했고
너는 때때로 역린을 놓치고 나는 서럽다.

이명으로서 존재감이 숨구멍에는 없었다는 게 진실이야?
  └사실 그럴지도 모른다고 내 부인(否認)은 말한다고 해.

어쩌면 회의감에 곧 충만할 것.
일지도 모르는 거부됨이 유감을 표한다.

삼가 유족의 안정을 빕니다.
머지않아, 들려오는 울음소리.

귀애하는 이여,
포말이 점차 엷어지고
아가미가 멍울을 내뱉을 때
나는 말에 몸살이 난다.

그저 굴절된 무제만 읊으며.
침침(浸沈)하게.

정물화, [붉은 장미]

자상을 벌릴 것
수치가 비밀이 되려면
언제까지고

시선을 돌린다
사랑에 지쳐 울다
포화한 산소에 목숨을 내걸 것 같아서
그리고 묻는다

고로 말라버릴 것인가?

마치 애정행각을 들켜도
뻔뻔하게 고개를 쳐드는 짐승같이
그렇게 살아갈 것인가?

정연하게 사랑을 고백하는 행위
그것에 신물이 난다는 것
일찍이 자백한 자의 표정과 동문

꽃잎에 슬픔을 맡겨둔 적(赤)이 있었고
화병 한 가운데 모여드는 슬픔은 첨예했다.

누군가 말하길

한때는 몸을 으스러지게 문지르며
가질 수 없는 보색을
그리도 가지고팠던 때가 있던 것 같,
았다고.

야속하게도,
잠시의 어리숙함.
요약하자면.

정물화, [개양귀비]

기척이 버릇이 되기까지 얼마나 많은 양귀비가 피었던가?
그는 그것을 무한으로부터 영의 관계일 것이라 말하고 싶어 했다.

한때 그는 유독 크고 탐스러운 꽃잎 안에서 머물렀고
오랫동안 되돌아나올 수 없었다.
그렇게 그는 어느순간 멈춰 움직이지 못할 것 같은 날이 왔다.
그때 그와 맞은편의 그는 벽이 되었다고 그는 서술한다.

벽에는 세차게 진동하는 심장 박동을 끄집어낼 입술도 없고
그의 얼굴을 더듬어 문장을 읽을 손가락도 없고
하물며 그를 물들이듯 재인식할 머리도 없다.

그는 문득 슬퍼져서 이렇게 말했다.
(그의 기억이 온전치 않아 확실치는 않다)

유월의 어느 내내 어여쁜 날에 연인들은 둥글게 몸을 부대꼈다.
그 사람들 사이에서 함께 쓸려 나온 상처는 붉고 검은 반점의 상처가 되
고,
사람들은 그걸 개양귀비라 부르곤 했다.
아주 크고 탐스러운, 붉은 잎을 가진 꽃이었다.
내가 머물고자 했던 꽃과 매우 유사한.

여름의 한복판에 무성하게 피어난 개양귀비.

64

여름 중에서도 유월이 가면 연인들은 서로를 잃어버리고 찾았다.

그 행위의 소리가 꼭 매미 소리 같았다.
맴맴 하다 금세 으깨질 것 같은 느낌이 미개하다고 생각했다.
결국 악순환에 불과한 무의미인데.

시작은 원대했으나 끝은 처참하리라.

누구에게도 닿지 않을 자화상 같은 말이었다.
맞은편 벽이 말하길, 너는 자신 대신 벽밖에 없는 사람이라고.

그렇게 그는 완전한 벽이 된 듯 느꼈고,
어느 순간 눈이 생겼을 때 맞은편에 벽은 없었다.
벽도 아무것도 없었다.

그저 벽이 된 자신밖에 없었다.

까마귀는 별의 조각에서 탄생한 존재라고

한 여자는 자신의 모든 사랑을 베풀었고, 실패작으로 남았다.

까마귀가 별을 동경하는 까닭은
별에게 자신의 반짝임을 전부 줘버렸기 때문이었고,
그래서 눈동자에 빛나는 것들을 품고 싶어 했다.

시꺼먼 삶이 추락하고
혜성으로부터 얼마나 오래 지나온 때였는지
자율 궤도는 내내 어여삐 여겨질 것이며

부엌에 죽은 까마귀처럼 몸을 웅크린 여자
이제 영원토록 박애를 모를 것이라고, 자신만큼은 그러리라고.
부들거리는 손에 과도를 들고 차마 목을 긋지 못하는데

눈을 감고, 고해한다.

창가에 임종이 그를 슬쩍 들여다본다.
서로 눈을 마주치고, 그는 입꼬리를 끌어올려 배시시 울어보았다.
그 보기에 옆구리에 투명한 깃이 솟은 새벽하늘이 아름다웠기에.
그가 저 너머 무엇을 보았는지는 확실치 않다.

다만 한 가지 확실한 것,

오로지 하나도 남김없이
그 가진 것 전부 사랑이었다.
고로 함부로 흔들리지 말라.

오늘, 사랑이 어지러이 애절할 만큼 필요한 밤.
눈시울이 흘러내릴 정도로.

이제는,
공허.

아오리 사과

그을음이 짙은 입술을 매만지면 묻어나는 풋내. 수확도 전에 떨어지는 첫 키스의 맛은 아찔하며 쌉싸름했다. 당신은 로맨스 같은 구석이 있었다. 각자 다른 방식의 신성함에 도취할 때, 황망하고 처절하게 본인에 대해 낙망하는 본인이 있었다. 오만이었다. 자신의 우울과 슬픔, 즉 사랑을 다시 할 수 있으리라는 예측 없는 자신감에 대한. 그것을 무시한 채 우리는 서로의 사랑을 증명할 순간이었다. 자, 그러면 미리 당겨온 미래를 뜯어 먹어볼까. 아작거리며 이내 흉한 속내가 드러난 속내는 꼴불견이었다. 당신을 감히 탐했으며 착각했다. 망상이었고, 바람이었다. 그것을 몰라 당신은 떠났다고 나는 부득이 말했다. 슬픔도 잠시. 떠난 이에게는 기어코 사과를 보내야 하는 법이었다. 책임감에 마음이 육중해진다. 사과를 보내는 법은 복잡한데, 먼저 흰 비둘기의 심장을 꺼내야 한다. 심장을 마구 베어먹으며 본인의 책임을 고해야 한다. 어디서? 그리움과 미련의 중간 지점에서. 그리고는 사과나무를 심어야 한다. 절대 붉은색이 피어나서는 안 된다, 붉은색은 애정의 상징이므로. 그리고는 피어난 사과를 내 안의 당신에게 한없이 가져다주어야 한다. 언제까지? 자책이 고개를 수그릴 때까지. 아마 그것은 평생 분의 후회라는 제목이 될 것이다. 이 이야기는. 사랑은 구전되나 당신은 이제 없다. 사랑이 없다. 이타적 마음과 이기심이 이제는 없다. 당신을 위해 나를 헌신하는 마음도, 부재와 현존을 그러쥐려는 마음이 없다. 초록빛 사과처럼 사랑하는 마음은 전부 모순이라 나는 찰나에 어여쁘고, 당신은 영원히를 끌어안았기에 영원을 잃어버리고.

소라게

나 그대에게 줄 안녕조차 없는데 그대는 다정하니까 제발 다정한 부디 바라건데. 체념은 안온하답니까. 결국 말해버린 단언, 혹은 첫인사. 이토록 몰지각한 눈꺼풀이 있다는 것, 박애주의자가 된다는 맹세. 무감각에서 깨어나 집필한 동물의 자서전. 이러한 근거들로 인해 모두가 실패다. 그저 누군가에게 기대 사랑한다는 행위가, 얼마나 비참하고 끔찍한 일인지 그 누구도 모른다. 마치 공산주의에 찌든 사회적 약자들의 모습이다. 이 거짓 말은 전부 경험입니다, 연설. 나 꿈에서 깨어나도 꿈이었다, 선언. 마지막 꿈은 집이 깨어지는 꿈. 그대가 내일 더 사랑스러워지는 꿈. 집이 떠나가는 꿈은 얼마나 환희로 충만한지. 차마 눈 뜨고 바라보기조차 어려운 찬란한 꿈. 끝내 정착하지 못해버린. 뜻하지 않은 예지몽. 말이란 건 얼마나 무의미하며 뜻깊은 것인지, 나는 모르렵니다. 말로 구축된 세계가 무너집니다. 그 중에서도 사랑한다는 말은 다만 서로라는 것과 무관해서, 나는 웁니다 울 수밖에 울어요 내가 지금 우는 건가요 정말로요 왜인가요. 당신 품 안에서 나는 항상 과호흡 상태입니다. 절박하듯 까마득해요 너무 높이 있어요 당신. 이제 나는 서맥을 가진 편안증 환자입니다. 얼마나 열심히 잊었는지 모릅니다 내가 당신을 콧등이 새파랗게 돋아날 정도였으니 전신이 물음표가 될 때, 나는 당신을 기어이 망각합니다. 더는 함부로 착각하지 말 것. 추억이란 이름은 나의 것이 아니니. 불안, 심장에서 동결되지 않은 사랑을 꺼내라. 나는 어떤 슬픔은 공존할 수 없다는 것에 말하고 있는데 그대는 한정된 유희와 애정에 대해 서술하고 있습니다. 우리는 하나가 될 수 없었고, 그렇기에 우리 삶은 초라한 것인가요 이토록 슬피 나를 기억하지 않아야만 하는 것인가요 박애란 어떠한 것인가라는 질문조차 묵살 당한 채 살아가야만 했던 것인가요. 과연 안식처란 무엇입니까?

4부 · 우리는 살아갈 것이다, 그리움보다 오래.

나의 어린 자아에게 보내는 편지는 북 찢어지고.

나를 빤히 쳐다보는 뒤통수, 눈매를 죽 찢는다.
복아(腹兒)일 때부터 나를 노려봤다지.

입을 쩍 벌린 채로 나에게 혀를 가져다 댄다.
축축하고 습한, 마치 더러운 쓰레기에 피부가 썩는 것 같다.
너는 내게 묻는다, 마치 나를 애증할 수밖에 없다는 듯.

너는 모든 슬픔보다 더 오래 살아남았니?
살아남는 것이 무엇이냐?
진정한 삶의 의미는 목을 매단 채 죽은 신과 같이 저무는데.
나에게 슬픔이란 네 환했던 미소였는데.

천사의 날개 죽지에서 자라는 버섯을 먹어보았니?
날개를 꺾으면 그것들도 비명을 지르냐?(웃음)
안온함은 잘 있지 않다고 전해 달라하니
오히려 나의 아가리를 이리 찢어놓고 갔는데
곰팡내 나는 그 죽지를 나는 이리도 혐오한다.

모든 상실을 볼 수 있는 눈을 마침내 가졌니?
…나는 이제 모르겠다. 이것은 나의 상실이 맞는가?
아니면, 사랑을 살려달라 했던 나에 대한 처벌인가, 이 나약함은?
상실의 시대가 도래할 것이다 우리는 죽음만을 사랑할 것이고 정확히 지
구만큼만 우울해질 것이며 수평을 찾아 헤매다가 울부짖을 것이다 애(愛)

는 애(哀)로 바뀔 것인데 이게 무슨 소용이 있지?

이제 내가 묻는다.

너는 언제까지 그렇게 아이일 속셈이냐?
불확실하게 번득이는 눈깔을 툭 내뱉은 채로.
그것은 네가 알지 않느냐며 나를 보고 글썽이며 낄낄거린다.
그리고 컵 하나를 들어 내게 보여주는데

컵 안에는 무엇이 들었느냐?
걸레라도 빤 듯 시꺼멓게 변질하여, 악취가 나는데.
문득 안광이 죽었다, 깨어난다. 너는 유리컵을 내 가슴에 던지고 운다.
적혈이 줄줄 새어 나오는데,
나는 어찌할 수도 없이 유리 파편을 끌어안는다.
너는 거리에 돋은 채 깨진 유리컵에 변명할 필요가 없었다.

비참하고 역겨운 어른이 되어 미안하다.
내가 해줄 수 있는 위로는 이런 것뿐이었다.

나는 울 수 없는 안구가 물을 깨뜨린 것을 느낀다.
무더위 속 이 비명을 어찌 설명해야 할지 모르겠다.
그저 느지막한 오한에 떨며 울 수밖에.

모기향

사람으로부터 받은 상처에
흡인한 쇳물로 나는 녹슬고 있다.
사소한 불편함으로부터 시작되는,
갈망과, 생의 몰락

후회가 나를 갉아먹듯이
나는 추억이란 이름을 멀리하기 위해
둥그런 둥지에 불을 붙인다.

사람 냄새가
지독히도 타들어 간다.

영원은 존재 의의가 없다.

그대만을 영원히 사랑하고 그리워하겠다.
우리의 맹세는 기꺼이 받아들여져야 했는가?
이것은 언약보다 무겁고 시간보다 가볍다.

문득 들려오는,
귀(耳), 시인의 귀(鬼)는 이것보다 튼튼하오?
그들의 혼은 어디까지 기록될 수 있는 것이오?
영원은 어찌하여 이름대로 살아가지 못하는 저주에 걸렸소?
스쳐 지나가는 그대라는 이름의 나그네들이 말한다.

나는 답해줄 수 없었고 다른 이름을 지어줄 수도 없었다.
아무렇게나 뚫린 입으로 새어 나오는 것은 말이 아니었기에.

그대, 지금 저무는 황혼에 취해있는가?

그토록 애틋했던 이여,
영원이라는 말을 증명하지 못하는,
나는 그대를 가슴에 묻을 자격이 없다.

우리는 펄럭이며 날아가는 그림자처럼 추억될 것이요
애정은 빛바래 낫지 않는 상처가 될 것인데.

사마귀는 작약을 모르고, 기준은 없는데 때마침 시는 짧다.

갑작스레 이루어지는 비참의 시험.
그리도 외면하고 싶던 것이 모였다.

Q. 애증이란 건 무엇이었습니까.

A. 그대 진정으로
   작약이 내 몸에 아스라이 필 확률,
   즉 혈관이 자율을 잊고 실조되는 까닭을 물으십니까.
   그대 진정으로 내게 그리 말하는 겁니까.

   수치를 잃은 자에게 절대란 없는 법인데도?

   불안에 파고드는 우리는 이제 무엇입니까.
   우리는 변함없이 우리로서 살아가는데
   그리도 두려움에 사무치고

   너무 가까이하면 안 되는 절대를 우리는 망각하는 겁니까.

   작약, 변질한.
   그 빌어먹을 이라는 이름을 가진 여자가
   바다에 침몰당한 가능성은 어디쯤이었을까요.

   그대는 형편없이 울었고

이제 눈을 뜨면 그대의 날개는 있으나
형태가 존재하던 나머지는 없습니다.

오늘따라 시가 짧습니다.
엉긴 마음이 더는 뭉쳐지지 않습니다.

사랑하는 이여, 나는 절대를 몰랐고, 모르렵니다.

Q. 이 글에서 어떠한 모순을 발견했는가?
  [최소 3가지 이상을 서술하시오]

A. (1)우리는 서로를 잡아먹을 수 없었고, 그대는 하염없이 불쌍했다.
  (2)그대는 과도하게 친절을 알았고, 우리는 그것을 뒤늦게 알았다
  (3)이름은 너무나도 많이 불려서 이름이었고, 작약은 피지 않았다.
  (사마귀라는 것은 암컷이 수컷을 잡아먹으면서 영양 보충을 한대
  그것이 아무리 사랑하던 동족이라도 본능에 충실하게 살아간다지
  그래서 사마귀는 눈물이 없다고들 하지 너는 이것을 어떻게 보니)

오월의 부고

나는 현재 자각몽 속 수학자.
지금의 계절을 연구하는 이였다.

내가 내린 결론.
∴오월은 부고가 발발거리는 충만함.
그 이상도 이하도 아니었다.

= 그대,
봄은 생이 가장 얇아질 때쯤 가장 뜨거워지다 변질한다는 걸 아는가.
그대에게 묻고 싶다, 영혼의 비등점은 어디 즈음일까.

애정-앞에-모든-걸-내던졌던-자격?
앞으로-한-걸음만-더를-외쳤던-절벽?-
밤의-장막에-가려져-끊어지던-숨?

겨우 연명하는 잉크가 제 주인의 치부를 가리려 하는데,
노력이 무색하게 충성심은 깨어지고.

조각들은 내 본질을 꿰뚫고 나는 질질 웃어야만 했다

내 영혼을 구축한 것들의 온도는 눈물 맛이 났다.
불순물들이 고여 드는 계절감, 그 고양된 감각 속 나는 서성인다.
내 삶을 수식으로 표현하자면 아래와 같았다.

정확히 행복만큼의 기대와 자유로움 ☒
{ 나의 불행은 누가 꿈꾸던 미래였을까 따위의 심상
≤허무 또는 죽음의 관계성을 탐미하는 일 }

나는 더 이상 정리하지 못하겠다며 이불 안으로 몸을 웅크리고.
그러자 그것들의 잔해, 부드러운 재가 꿈속까지 밀려 들어온다.
그것들은 실제 혹은 미래가 되지 못했던 밤이라고 불렸을지도, 모른다.
꿈속에서 그것들은 서로 둥글게 춤을 추다 짐승이 되는 듯 했다.
나는 이 꿈을 자살(自殺)이 아닌 자사(自死)라 불렀고 사람들은 나를 미치광이라 불렀다.
애착이 섬멸전에 져가는 가운데에 자사는 미수에 그친다.

하마터면 살인자가 될 뻔한 즈음에 나는
유서 끄트머리에 줄이 그어져 있는 것을 보고 읽어야 한다는 의무감에 휩
싸였다.
<u>우리는 어디로 나아가고 있는가? 망상인가 현실인가?</u>

답을 알면서도 나는 자신에게조차 답을 하지 못하겠다며….
망설이고, 주저하다, 끝내 그릇된 답으로 입술을 달싹여본다.

이 기록을 보는 그대여,
어쩌면 그곳은 살아가는 의미를 찾지 못했던
그런 자들을 위한 자들의 쉼터일지도 모른다고.

나는 이제야 이불을 박차고 일어나,
잊지 않고 생의 각진 모서리 부분에 비명.

그제야 이것이 무엇인지 정의할 수 있었다.

봄이 점차 끓어오르려 하던 때,
어느 오월 말의 몽중몽이었다.

여름 외투

그는 엊그제 울 수 있을 것 같다.
무슨 짓을 한 건지 그는 이맘때쯤 알게 되는데.

일상씨의 집에 하숙하는 그는 오늘도 산책을 나간다.

온몸에 실핏줄이 탐스럽게 열릴 때쯤이면
여름 외투를 껴입어야 한다.
아무도 내 치부를 따먹을 수 없도록.

저길 봐, 미친 여자야!

오들오들, 또각또각.

한여름에 저렇게 두꺼운 외투를 입고도 추워하다니,
분명 안에 뭔가 이상한 걸 숨기고 있을 거야.

아려오는 뒤꿈치에 새빨간 사과 껍질 밴드를 붙인다.
요즘은 사과를 구하기 정말 힘들어.
그가 중얼거리고 와작와작 사과 씨를 뱉는다.

그는 갑자기 열을 내며 꾸짖는다.
자유란 건 정말이지
사과가 익어가는 듯 수두룩한 무력감이라고.

무엇을? (아마변치않는현실의자신일지도모르겠어요지나가던행인이말한다)

그를 더욱 괴이하게 보는 행인들.
그리고는, 울리는, 비명

눈앞이 뒤집힌다
눈알이 빠지더니
이내 뭉그러진다

그는 오늘 울 수 없을 것 같다.
무슨 짓을 한 건지 그는 이제야 알게 되는데.

철컹.
철컹.
뚝.

그를 사형해도 사라지지 않는 것은 죄의 비린내였다.
그의 애정은 늘 비극이었고
그 잔해는 처참했던가.

그의 윗구멍과 아랫구멍이 서로 맞닿고
이내 투과한다

투명색의
순진함

도둑괭이

침묵의 소유인 밤이 왔다.
스산함을 벗 삼아 자신의 아이를 찾으러 왔다.

밤이 어두운 이유를 아는가?

그 이유는 자신의 빛남을
남김없이 별 무리에게 주어서인데
그것만이 아는 진실.

별의 명칭이 곧 자신의 이름.
그 사실을 꼼꼼하게 숨겨놓은 채
태어나며 눈동자에 요동치는 밤그림자를 품고
늘 한없이 그리움에 사무친다.

그것은
햇빛이 그림자를 없애지 아니하도록
낮에는 조심히 숨겨놓고 경계한다.

그러다
어둠이 찾아오면 간절히 드러내더니
밤을 조금이나마 품었다 자랑한다.

야행성이라는 명분에

어둠 속에서만 소망을 품고
빛 위에서는 금세 꿈 안으로 뛰어든다.

그것은 밤을 이토록 사랑했다.
그러나 유일하게 알았던 것은 밤 그 자체보다
밤이 곧 태양에 의해 타오르거나 희미해질 거라는 점이었다.

하염없이 의미를 찾아가는
그 명은 불확실함.

불확실함이 웅얼거린다.

사랑하는 이여,
너는 이 시선과 판단을 쓸어 담는 일에
변명할 필요가 없다.

낙엽에 가리운 별 무리가 쓸쓸한 듯 보여서,
첨언.

잠시 정도의 가여움,
그 정도 몫만큼의 아름다움에서
멀어진다 서서히

기대를 내려놓는다.
어느 울음이 무색한 밤에.

THE SCREAM*

당신과 그는 사실 만난 적이 있다.

누가 먼저 떠나갔는지는 중요치 않다. 왜 그가 모욕과 비참은 어찌한 채로 사랑에 매달리는 것인지. 왜 어떠한 그의 자유에도 이름은 주어지지 않았고, 그가 만들어낸 사랑의 대상(어쩌면 당신)은 자신을 창조주로부터 앗아가기만 하는지. 이 모든 것의 원인, 그리고 당신과 그의 관계가 주요함이다. 이제 당신은 궁금해야 한다. 그는 누구인가.

이쯤 되어 살펴볼 것.
해설이자 문제를 보고 다음 작품을 파악할 것.

Q.
1. 그가 당신의 이데아라면?
2. 당신이 추상적 상징이자 의미였다면?

A.
1. 아마 당신은 이미 답을 가지고 있을 것이다. 이미 질문에서 답이 나오지 않았는가? 어쩌면 한 번은 겪고 넘어갔어야 할 문제라 생각하여 출제한 것이 아닐까, 싶다.

2. 그가 당신을 만들었다는 것을 기억하는가? 그렇게 만났던 곳에서 당신은 발견되지 않고 그도 발견되지 않는다. 이쯤에서 그는 알아차린다. 절망이란 유한과 허무의 무한적 관계, 어쩌면 실격을 기다리는 일이라는 것을. 당신의 의미를 번역하자면 망상이었고 각 존재의 위치가 바뀌는 것은 성립 불가였다.

∴ 있지도 않은 사랑에 대한 동경과 환희를 두 손에 담을까. 그렇게 모순을 배울 수 있을까. 사랑을 안 적이 없어 아직 여물지 않고 해석할 수 없는 밤을 꾸역거린다. 희망이란 게 정말 존재하는 것이었을까, 그는 문득 무서워했고, 눈을 감았다. 희망이 생길까 두려웠다.

*뭉크의 작품 중 하나인 절규의 원래 작품명이다.

L´Ange déchu*

천국행 티켓을 구하려다 너무 비싸 포기한 한때.
대신 지난밤 천사에게 감히 슬프다는 것을 배웠다.

창조주에게 버려진 자는 감정이 없다고,
그래서 늘 참혹하기에 참혹을 모를 수밖에 없다고,
그 누가 저에게 기대나 애정, 추억 등을 묻겠냐고.
그게 슬픔이라는 것을 배웠다.

내일을 하나하나 증명해야 하는 일.
슬픈 천사를 사랑하여 받은 연약함이라는 대가.
당연하게 주어지는 내일은 더 이상 없다.

신이 그의 언어를 잊어버린 듯하다고
울지도 못하고 눈조차 가려버린 채
그저 하염없이 하염없이…

누가 어째서 그의 별을 지게 하는가?

문득 떠올린 질문에 외로워지기 시작하자
나는 천사에게 비천사적인 얼굴을 뚝 떼어 내어줬다.
한순간의 사랑이자 연민, 어쩌면 동질감이었다.

그 순간 그가 이름을 잃고 나는 비참하다.

서러움이 뭉그러지듯 우리를 휩쓴다.
우리는 늘 우리가 아니었던 적이 없음에도
우리는 너무나 두려웠고

고로 사랑이 더는 없을 것.

너무 가까이하면 안 되는 것이 있었고
나는 나로부터 멀리 멀어진다.

본명이 잠시 번뜩이더니 턱 밑으로 사라진다.
그럼에도 나는 똑똑히 보았다.

나의 본명은

루치페르
루치페르
빛을 가져오는 자.

나는 그렇게 깜깜해지고
이제 추락의 해부를 볼 시간.

내 삶을 요약하자면
어떻게 감히 슬프지 않을 수 있겠습니까?

*알렉상드르 카바넬 작품 중 하나인 타락한 천사의 원제목.

정물화, [달맞이꽃]

가장 사소했던 극단적 행위를 위하여,
나 그믐에 소스라치는 손톱달처럼 저물어 갈 것.

오래전
슬픔의 도시를 지나치듯 누군가가 찾아왔고
잊힘을 떠올리지 않고 딱 하나 비명.

누군가 내 이름을 찾아주었고
그에 미수로 그치지 않고 친히 불러주었으니
기어코 그를 사랑할 수밖에.

피애망상은 금물.
오로지 내 곁에 없는 모든 것들이 그였음을 인정할 것.

우리가 발명한 시간 속에
묵언은 우리의 것이 아니요,
어떤 사랑은 함께할 수 없을 것인데.

여백이 첨예하다.
내 기다림은 비밀이 아니었건만
망각은 내일도 사랑스러워질 예정이었고.

창공, 어둑한 시야를 한껏 깨물면.

무채색

시장을 동생은 유독 좋아했다.
어머니도 시장을 좋아했다.

냉이 한 다발만 주셔요.
어눌한 발음으로 동생이 슬퍼한다.

집에 돌아와 동생은 냉이를 쥐어뜯는다.
나는 어머니의 지갑을 무심코 열어보았다.

툭, 하고 떨어진 어느 날의 숙제.

<우리 가족을 소개합니다.>
아버지는 원래 처음부터 없었대요.
동생은 장애인이고요, 귀엽고 사랑스러워요.
어머니는 아주 따뜻하고 멋져요.

이날 선생님의 얼굴을 뭉그러진 진흙 같았었지.
그리고는 동생처럼 말했다.
너는 어디 있니?

저는
저는 없어요.

그때 선생님의 얼굴은 어땠더라.
그저 숙제가 흰 눈발 같다는 생각밖에 안 했는데.

깡깡 소리가 난다.
동생이 칼로 냄비를 두드리는 소리가.

어느덧 눈앞에 자리한 동생의 눈가는
번져 하나도 되고 둘도 되다 셋이 되어 있었다.

그리고는 또박또박 말하길,
나는 어린 애가 아니야.

아니.
넌 언제까지고 어린 애야.
목구멍까지 차오른 말이 혀뿌리에서 단단히 막혔다.
차마 나오질 않았다.

비참이었다.

동생은 냄비를 세게 내려놓더니
던졌다, 먹어.

어머니가 생전 좋아하던 냉이된장국.
물에 조각난 냉이와 된장을 풀어놓기만 한 맛이었다.

다시 사랑이었다.

어머니는 병으로 끝내 돌아가셨고
연인은 내내 싸우다 결국 연락 두절이었다.

어머니가 쓰러지기 며칠 전,
어디서 동성을 연인으로 데려오냐며
뺨을 마구 치시던 게 기억났다.
이럴 거면 만나지도 않았지.

괜히 뺨을 만져보다
달력이 눈에 들어온다.

어제는 어머니의 기일이었고,
나쁜 년이라며 동생은 울었다.

그 길로 동생은 없다.
눈앞에 보이는 진열대 위 냉이가 보인다.
한 다발을 한 움큼 쥐어 손가락에 둘러본다.
풀리지 않을 것 같던 인연이었다.

냉이는 새벽에 기다림을 안고 온다.
이별이 오늘 만날까, 사무친다.
쌉싸름한 내음이 오래 들고 있었다.

사무친다는 건 묻는다는 행위라
문득, 고개를 끄덕인다.

시인의 말

절망 이후 기어코 다정, 신이 아플 때 태어나버린 소유물, 단기간에 속한 영원의 유의어. 그것을 은유와 환유로 서술하는 행동. 이를 두고 사람들은 속된 말로 눈먼 낭만주의 사랑이라 불렀다.[1] 이 짓거리를 하는 이들은 박애적 인류라 불렸으며, 하나같이 사회에서 뛰쳐나간 이들이었으며, 또한 시인이었다. 떠나가지 않은 누군가를 기다리는 것. 그로 인해 자신이 자신의 첨예한 끄트머리가 된 이들의 말로를 아는가?[2] 우리가 당신을 사랑할 수밖에 없는 맹목적 막연함에 대해 들어달라, 무가치하고 몰상식한 관계를 우리는 꿈꾼다, 나로 인해 동정심이 들수록 당신은 더욱 이용하는 것. 마치 유통기한 같은 것을 우리는 행한다.[3] 그들은 허공에 말을 건다. 꼭 정신이상자 같은 행위에 그들은 배척당할 뿐이나, 그들은 연연하지 않는 것 같다. 이제야 떠오른 건데. 그들이 사랑으로서 실패한 이유를 섬뜩 알 것만 같다. 서로 문득과 슬픔, 애증 사이 어딘가에서 만나자는 약속을 했기에. 현실에 머무르며 똑똑히 보았기 때문에. 그토록 부정하고 싶었던, 자신은 추잡하다는 결백을.[4] 고로 슬플 것인가? 떫고 시기만 한 나날들 가운데 절규하며 참담을 울부짖고 사랑이 우리를 우리들을 죽였다며 우리는 무슨 짓을 한 것인가 오로지 절망 절망 절망 절망 참담이라며 그렇게 조소할 것인가?[5] 진정한 사랑이란 것을 했기에 그들은 완전무결한 무지가 되었다. 그들의 시는 나락이었으나 자유였고, 비참이었으나 영원이었다.[6] 고로 사랑이 무엇이냐 묻는 화자는 맨 앞의 세 가지 행위를 중점으로 당신을 사랑했으며, 자신조차 자신의 사랑을 눈먼 낭만주의 사랑이라 불렀다.[7]

---

1) 화자는 앞의 세 가지 행위를 중점으로 사랑했으며, 자신조차 자신의 사랑을 눈

먼 낭만주의 사랑이라 불렀다. 이유는 마지막에 나온다.

2) 그들은 자신의 이상향을 좇았으며, 사람들이 이해할 수 없는 말을 하곤 했다. 모순을 사랑했으며, 없는 것을 추구하고 이름 붙였다. 그렇기에 사람들에게서 배척당하였으며, 그로 인해 자기혐오에 빠지곤 했다.

3) 존재하지 않을 수도, 존재할 수도 있는 '당신'이라는 존재에게 말을 건다. '당신'이라는 존재는 위에서 언급했듯이 그들의 이상향이었고 모순이었으며 끝내 절망이었다. 그런데도 그들은 박애적 인류(누구보다 박애를 가진 자)로서 '당신'을 놓지 못한다.

4) 그들은 이 현실을 한 문장으로 표현한다. 문득 당신을 알아차려 사랑했고, 슬펐기에 애증했다. 이상만을 좇는 자들로서 그들은 추잡했다. 모든 이가 그를 손가락질했고 그들은 추잡하다는 것을 받아들임으로서 결백하다.

5) 사랑에 패배한 그들은 사랑을 결코 이기지 못한다. 즉 사랑에 충만한 나날을 보낸다는 것이다. 사랑으로 인해 자신들은 망가졌지만 그럼에도 놓을 수 없음에 조소한다.

6) 그들은 자신들이 추구하던 모순을 토대로 시를 구축한다. 진정한 사랑을 안 자는 그것에 의해 눈이 머는 법이었다. 또한 눈이 먼 자는 어떠한 진실도 보지 못하는 법이었다.

7) 맨 앞의 세 가지 행위는 시인들이 누구보다 오래 겪은 비참이며 전능이었다. 그들은 박애적 인류였기에 누구보다 그것을 알리고자 했다. 즉 자신의 이야기를 쓰고자 한 것이다. 무언가에게 패배한 자는 그 무언가를 누구보다 잘 알면서 모르는 법이다. 고로 사랑이 무엇이냐 화자는 물었고, 끝내 답이 나오지 않자 다른 이들의 의견에 동조하여 자신의 사랑을 눈먼 낭만주의 사랑이라 불렀다. 이 사랑은 눈먼. 즉 진실을 보지 못하는. 낭만주의, 공상과 상상에 매달리는. 사랑, 그 누구도 전말을 알지 못하는. 것이었다.

피학자

[속보입니다. 유명 배우가 집 안에서 온몸에 유리 파편이 꽂힌 채 사망하였습니다. 경찰은 이를 타살로 보고 수사를 진행하고 있으며…

…그의 집안입니다. 같은 내용의 라디오가 반복해서 흘러나오고 있으며, 자의에 의한 유서인지 타의에 의한 유서인지 모를 종이가 소파에 있습니다. 유서의 내용입니다.]

뚜륵, 뚜르륵… 현재에는 존재의 의미를 찾지 못하여 죽는 사람들이 많다. 그러나 우리가 살아야 할 이유라고 부르는 것들은 역설적이기도 하다. 즉, 삶의 가치를 탐미하느라 죽는 사람이 무수하다는 것 또한 무시할 수 없는 사실이라는 것이다. 이를 통해 우리는 살아야 할 이유가 죽어야 할 이유이기도 하다는 것을 깨달을 수 있으며…

그대 내게 했던 본질적인 질문에 답을 하고 싶어서 이 글을 써요. 단지 그뿐이에요. 그대 내게 왜 사랑이란 걸 하냐고 물어봤으니까요. 근데 그 대상이 누구인지 모르겠으므로 전부를 대상으로 가정해봐요.

그대,

내게 후회와 자책과 용서는 없어요.
그것은 결정적 절정에서 맞부딪칠 거니까요.
내가 선인장을 동경하는 이유는 별거 없었어요.
그게 나의 동질감이었으니까요.

사랑,

가망 없는 것들은
왜 이리 빛나고 불분명한지 모르겠어요.
나는 무해한 짐승이었고 그대는 가해자였어요.

(나는 그저 눈물이 말라버렸다는 말을 하는 거예요.)

무엇이 맞고 틀린 건지는 중요치 않다. 우리는 그저 우리의 수중을 벗어난 어떤 것에 집중해야 한다. 비유도 반어도 아니다. 그 자체에 진실이 있는 것을 우리는 모른다. 예를 들어 우리는 그날 그의 친구가 그에게 무심한 어조로 무엇을 말했는지를 생각해야 한다.

우리는 아니오, 라는 생각에 반하는 말을 자주 하고는 하는데, 그것은 이 이야기의-

나의 주변에 없기에 사랑했던 이들,

선인장과 같이 온몸의 안팎에 유리 조각이 돋아나는 것,
나는 그 행위를 자학가라 불렀어요. 어떤 이들은 트라우마라 하더군요.

그대는 언제나 비로 온다 했는데, 오지 않아요.
사랑을 잊어버리는 게 두려워 나는 가시가 돋아나고
나는 없어요.

그러니까.
자학이란 걸 하지 않고는, 살아갈 수 없었다고요.
왜 아무도 이걸 믿어주지 않죠?

(나를 지나면 피해와 가해의 결계가 불분명해질 시점이 와요.
우리는 서로 마음에 들었나요?)

[이 배우는 생전 정신이상자라 불렸으나, 원만한 인간관계를 가지고 있었습니다. 그가 좋아했던 것은 무엇이었으며 그가 죽기 전에 간 곳은 어디였으며…]

미필적 고의에 의한 유기

나는 시를 울부짖으며, 고로 존재한다.
그런데 내 그림자는 어디로 갔는가?
그러자 마치 금기를 입 밖으로 내뱉었다는 듯,
위험에 노출된 입술, 사라진다.

반은 웃고 반은 우는
이상한 달이 되어버린 입꼬리가 경련한다.
그러더니 적막으로 운다.

내 삶의 의미는 어디로 간 거야?

잠시만 기다려봐, 내가 찾아줄 테니.
나는 어두운 밤 안에서 더듬거리며 별을 켠다.

잠시 사랑이었다,
깜박.
다시 비극이었다.

점멸하는 절명 속에서 우리는 무엇을 보았는가?

침묵은 멋대로 얼룩질 것이며,
나는 검은 혀 속 입술을 나지막이 캐어내야 한다.
어째선지 물길이 틀린 얼굴을 멈출 새도 없이.

철새의 떼죽음과 진단명을 내릴 수밖에 없는 우리는,

부제 : 남극제비갈매기는 영원을 모르고

애정의 산물인 비명이 없었다면
나는 지금 낯선 꿈속에 미아가 됐을 것이다.
낮달의 눈썹 위에 살포시 얹은 애정과, 선잠.

우리는 가끔 하늘을 뚫으려 머리를 짓이기곤 해

사랑하는 이여,
그곳은 어쩌면 계절이 순번으로 죽지 않는 곳이라며
오로지 시선 하나에 목숨 걸며 서로를 죽이는
그런 무저갱일지도 몰랐을 것.

우리는 가끔 빙하 안에서 죽곤 한다.
탈피하기 위해 종종부터 자주까지 흠집을 내야 한다.
그리도 끝날 것 같다는 불안의 무력함
그것이 우리를 연장하게 하고팠고.

먼 곳에서 누군가 아가미를 도축하는 듯해.

해양,
아이들을 건져라.
나지막이 그대를 선회함으로써
물고기 눈을 한 채 날개 죽지가 탄 새가 쏟아진다.

오직 내게만 맡아라.

진단명, 허무.

나를 괭이갈매기라 부르던 적(敵)이 있었다.

까만 고양이는 바다를 건널 수 없다.
그 까닭은 수면 위가 그들을 밀어내서도 아니요,
심해와 심저의 상관관계 때문도 아니요,
그것은 갈매기에 있어 판도라의 상자 때문일 것이다.

텅 빈 상자는 본래의 상태를 유지하고자 하고
억울과 우울에 괭이는 위장을 가르며 울고
사람들은 그저 단순함에 취해 삶을 짓고

그러나
그렇게나 괭이를 삼키고도
만족하지 못하는 욕망이 있다.

어제, 괭이갈매기가 운다.

나의 사월이 있던 삶과도 정이 들어버린지라,

죽은 달의 그림자는 불투명하고, 밍밍할 뿐이었다.
그 달 속에서 우리는 죽어야 마땅하다 처음 맹세했고,
심지 어린 불가항력적 믿음이었다.

짖어라. 정확히 짝수만큼의 계절아.
어린 날들의 경이로움은 잊을 것이요,
사랑은 더 없어야 할 것.

그것이 우리를 살게 하는 원동력이었는가?

정해져 있는 답이 미치도록 두렵다.
나의 우울감과 고양감은 서로 섞이지 않을 듯 섞였고
아직도 나는 허황한 것 같은 나날을 떠올리곤 한다.

언젠가에게 보내는 편지.

사월아 간다, 우리의 어리석은 사월은 없었다.
우리의 한철에 상해버린 음울은 어디로 간 것인가.
다락방 한편에서 손목을 그은 신님은 사월을 동경했고
천사의 눈에는 얼음이 내리고

추신. 그곳은 이제 살아온 나날에 든 정을 받아들였는가?

안락사

서늘한 그리움이 애달프다.
상대는 없다.

내 시는 전부 미지에 대한 것이었으며,
어쩌면 내가 시를 쓰고 있다면
이것을 시라고 여기지는 않았을 것이다.
펜촉을 쉼 없이 잘근거리며….

그러기에 나는 지금 이 자리에 서 있는 걸지도.

성대에 농이 차듯이 회상한다.
달이 선명한 아침마저 밤을 새울 때면
나는 평균의 표정을 짓는다.

모독을, 그런 것 따위로 사람을 기억해내는 일.
신물이 난다는 말을 촉진해야만 가능한 것.

이제 내게 남은 것은
사랑? 그와의 것?
아니, 정확히 잘못 짚었다.

내게는 사랑이 없고 친절이 없고 정열이 없고 동인이 없고
그 흔한 사월이나 이름조차 없다.

아는 것을 모르는 것처럼 포옹한다는 일은
참으로 화석에 새겨진 발버둥과 다름없었다는 것을.

삶은 삶대로 우울은 우울대로 살고 싶었다 한다.
창과 방패와도 같은 저들은 어느 한쪽이 죽어야 말을 마치겠지.
끝내 무슨 의미가 있나 싶지만,

기어코 목을 긁어내야 하는 계절이 온다.

동면

눈보라가 내리는 영원의 겨울,
카페의 여성 둘이 생을 셈하다 잠들어요
서로 상대의 발톱 위에 두고 온 사랑에 대해 고찰,
사랑을 앞세워 당당하지 않으리라 결론 내린다.

그들의 이름은 우울과 행복
그들은 늑골의 중심에서 당신과의 기억과 춤을 추고 싶었대요
그러한 생각 가운데 한 여성의 심장은 온데간데없어져요

툭.

행복의 형체가 사라져요

사라진 행복의 앞에 창가를 등지고 앉은 우울이
죽은 사람처럼 가느다란 눈을 무릎에 기대요

겨울의 사전에 당신이라는 명사는 없었고
내가 나로서 인지되지 못할 때 비로소 문장은 완성돼요
우울은 그리 고찰하네요

당신은 나에게 아무것도 아니리라…

끔, 뻑.

나에게 아무것도 아니니라…

끔, 뻑.

아무것도 아니리라…

알아차림을 받아들여야 할 때.
살아있음을 참으며 삶을 가늠하는 와중
당신을 보려고 해도 당신이 보이지 않을 때.

당신이라는 이름의 뜻을 더는 떠올리지 못함을,

썰매견

부제 : 개 농장

파문된 애정은 유월에게서 시작됨을 나는 왜 몰랐을까?

유월은 아픔이다.
고통에 몸부림치는 유월이 나는 싫었다
그렇지만 엄마가 늘 말했는걸
유월은 여름의 시작이니까 끝을 모르니까 서로가 채워줘야 한다고

우리는 늘 엇비슷한 대화를 나눴다.

그 누구도 용서치 못한 신님이 허상으로 가는 열차를 태워줄 거야
천국행 티켓은 터무니없이 값비싸겠지

겨울과 눈 사이 간격이 멀어질 때 언니의 나라가 펼쳐질 거야
언니의 나라에서는 누구도 죽지 아니할까?

그럴지도 몰라 그 나라를 보면 돼지의 혼을 게걸스레 먹어 치우듯,
이마를 찢으며 대가를 거두는 천사의 비천사적 모습을 알게 될지도 몰라

엄마가 온다 나는 꼬리를 마구 친다

불안이 입 안에 고이고, 묘지 냄새가 그득하게 안겨 온다.
유월이 희미하게 생의 전부를 넘겨준다

언니를 많이 좋아했어.

그 문장이 생의 전부였다 유월은 울부짖는다.
잠시만 그 개는 엄마야, 엄마 왜 그래요 나 이월이에요 무서워요

젖은 날개를 움츠리는 새의 살결이 오늘따라 뽀얗고 부드러이 보였다.
그때만큼 어딘가로 향하는 새가 부러웠던 적이 없었는데.

자폐를 앓듯 유월은 몸부림친다.
마치 그토록 좋아하던 꽃을 가득 안은 듯하여 나는 웃는다
고약한 피 내음이 난다, 깨갱! 깽!
유월이 더 이상 이상하지 않다 아파하지도 않는다
고로 나는 가서 유월을 안는다 나를 어디로 데려가려는 거예요
겨울의 끝자락이 사라져요 오오
이월은 가요 이월이 사라져요 내 이름은 어디 있죠?

추워요, 엄마.

투명이랑 없음의 상관관계를 우리는 깊게 토론하곤 했는데.
사실 투명과 없음은 다른 거였나 봐, 유월아.
이렇게 투명한데 분명히 존재하니까.

유리창이 열리고 나는 낯선 개에게 안긴다.
엄마보다 큰 개, 유월이보다 훨씬 큰 개.

인사해, 새로운 네 엄마야.
네 엄마야,

엄마.
엄마.

유월이는 어디 있어요?

정물화, [한란]

불안이 피어날 때만 의미를 찾을 수 있었고
우울해지는 날이어야 거뭇한 눈주름을 잊을 수 있었다.

다리를 구부릴 힘조차 녹아내린 채,
아래를 안간힘을 써서 본다.

듬성듬성하고 높게 솟은 나의 배 언덕.

멍하니 바라보자니
한란이 배꼽에 돋아난다.
눈보라가 빈틈없이 날아가 사라져도
침체된 슬픔은 남아있듯이,

그간 잡으려 한 희망은 수도 없이 많았지만
지껄인 고백은 단 한 가지 종류였다.

그렇게 아무도 읽지 않을 편지가 되어,
서글프게 난을 닮아가야겠다.

한란 위로
눈비가 오겠다.
비에 제시간에 충돌하는 사람들과

눈에 잠기듯 결정 밑을 걷는 사람들 사이에는
참을 수 없는 간격이 있는데,

어제 외로움이 지새울 것은
자격 없는 이들만이 울고 있는 밤.

한때는 난이 무성하다.
침침할 정도로.

흡혈귀는 사실 눈에서 태어난 존재라서

눈처럼 하얀 피부와 녹아내리는 존재감.
나는 눈에서 태어난 존재였고,
그렇기에 겨울에 귀속될 수밖에 없다고 누군가 그랬다.
비참하기 짝이 없었다.

그러다
겨울의 여윈 팔목에 수갑이 채워질 때
비로소 나는 해방, 즉 미지의 두려움을 느낀다.

따스함이 들이친다.
그러면 나는 눅진한 입안에서 눈꺼풀이 돋아나고,
끔벅. 발음해본다.

사랑이었다.
다른 말로는 봄이었다.

네가 다시 옴에도 나는 녹록지 않게 불안하다.
너의 다정함이 두려웠기에.

나는 너의 피를 취해야만 살아갈 수 있었고,
너 또한 그러리라 묵언.

피라는 건 어쩌면 어떠한 구실일지도 모른다고,

한 피해자의 말에 따르면 말이다.
우리는 왜 몰락과 처지를 유일하게 아는 연인이어야 했는가?

네 피에는 정확히 계절만큼 비참할 정도의 온기,
나에게는, 나에게는 무슨 명분이 있습니까?
우리는 서로가 혼혈이 되어야 하는 이유를 설명해야 했는데.

축약하자면,
유서처럼 당신을 갈망합니다.

너는 어쩐지 서글픈 웃음을 남기고
나는 죽죽 운다.
고개를 들라고, 음성이 들려오고

너에게서 생애 가장 따스한 빛을 본다.
채워지지 않는 갈망의 종착지였다.

그렇게
이제 내 혀는 네 온기만을 되뇔 것이요,
그러므로 너를 놓치는 일이 잦겠다.
그리 실명했다.

그러나 여전히 풀리지 않는 의문이 있어
나는 유언을 남기나 너는 하염없이 보이지 않는다.
다시금 절규였다.

첨언,

살아가는 것이 잘못이 되는 때,
그때는 어떻게 회개해야 하는가?

끝맺는 말 · 그대와 나의 나날이 조금이나마 더 안온하길.

이제야 고백할 수 있겠습니다.
제 삶은 오만했습니다.

제 삶을 구축하는 것들에는
언제나 나를 괴롭게 한 것들을 뛰어넘겠다고 한
그 말속에는 사실 인정받고 싶다는 진심이 있었고,

사랑받고 싶다며 사람의 온기를 찾아 헤매면서도
자신이 세운 터무니없는 기준에
굴복하며 절망하고 포기하려고도 했고,

그런데도 살고 싶다는 자존심은 놓을 수가 없어서
이리저리 방황하고 괴로워하면서
후회와 끝을 사랑하며 살아가고.

그러나 나는 어쩌면 살아간다는 것에
너무 진지하고 성실했을지도 모릅니다.

늘 밤의 끄트머리에서
뛰어내릴 이유 한 가지만 더를 외치다가도,
아직 찾지 못했다는 구차한 변명만 흘렸으니까요.

이제 보면 변명이 아니라 모순이었던 것 같습니다.
사실 누구보다 삶에 필사적이었는데 말이죠.

부끄럼 많은 삶이었으며 그럴 것입니다.
그래도 저는 살아보고자 합니다.

피애망상 · 자살미수

발 행 | 2024년 05월 09일
저 자 | 사련
펴낸이 | 한건희
펴낸곳 | 주식회사 부크크
출판사등록 | 2014.07.15.(제2014-16호)
주 소 | 서울특별시 금천구 가산디지털1로 119 SK트윈타워 A동 305호
전 화 | 1670-8316
이메일 | info@bookk.co.kr

ISBN | 979-11-410-8449-3

117